1580242772

中华人民共和国电力行业标准

串补站初步设计文件内容深度规定

Regulations for content and depth of preliminary design
documents of series compensator station

DL/T 5502—2015

主编部门：电力规划设计总院
批准部门：国　家　能　源　局
施行日期：2015年12月1日

中国计划出版社

2015　北　京

国 家 能 源 局
公 告

2015 年　第 4 号

依据《国家能源局关于印发〈能源领域行业标准化管理办法（试行）〉及实施细则的通知》（国能局科技〔2009〕52号）有关规定，经审查，国家能源局批准《压水堆核电厂用不锈钢 第40部分：堆内构件用奥氏体不锈钢锻件》等133项行业标准，其中能源标准（NB）58项和电力标准（DL）75项，现予以发布。

附件：行业标准目录

国家能源局
2015 年 7 月 1 日

附件：

行业标准目录

序号	标准编号	标准名称	代替标准	采标号	批准日期	实施日期
……						
124	DL/T 5502—2015	串补站初步设计文件内容深度规定			2015-07-01	2015-12-01
……						

前　言

根据《国家能源局关于下达2012年第一批能源领域行业标准制(修)订计划的通知》(国能科技〔2012〕83号)的要求,标准编制组经广泛调查研究,认真总结串补站设计工作经验,并在广泛征求意见的基础上,制订本标准。

本标准共分为12章,主要内容包括:总则,设计总说明,电力系统部分,电气一次部分,二次部分,土建部分,水工、暖通及消防部分,水土保持和环境保护,劳动安全卫生,施工及设备运输条件,主要设备材料清册,概算部分。

本标准由国家能源局负责管理,由电力规划设计总院提出,由能源行业电网设计标准化技术委员会负责日常管理,由中国电力工程顾问集团中南电力设计院有限公司负责具体技术内容的解释。执行过程中如有意见或建议,请寄送电力规划设计总院(地址:北京市西城区安德路65号,邮政编码:100120)。

本标准主编单位、主要起草人和主要审查人:

主 编 单 位:中国电力工程顾问集团中南电力设计院有限公司

主要起草人:樊　玥　　梁言桥　　李　苇　　王光平　　赵丽华
　　　　　　　周菲霞　　吴必华　　袁翰笙　　李莎莎　　杜明军
　　　　　　　张巧玲　　李泰军　　刘　倩　　钟　胜

主要审查人:李宝金　　方　静　　杨　健　　颜士海　　陈志蓉
　　　　　　　徐东杰　　李国满　　鲁景星　　杨　宗　　乐党救
　　　　　　　许玉香　　冯仁德　　何　民　　孔志达　　原会静

目 次

1 总 则 …………………………………………… （ 1 ）
2 设计总说明 ……………………………………… （ 3 ）
  2.1 概述 ………………………………………… （ 3 ）
  2.2 站址概况 …………………………………… （ 4 ）
  2.3 主要技术原则及存在问题 ………………… （ 4 ）
  2.4 技术方案和主要经济指标 ………………… （ 5 ）
3 电力系统部分 …………………………………… （ 7 ）
  3.1 电力系统概况 ……………………………… （ 7 ）
  3.2 建设方案及系统条件 ……………………… （ 7 ）
  3.3 系统对串补装置的要求 …………………… （ 7 ）
  3.4 电力系统图纸 ……………………………… （ 8 ）
4 电气一次部分 …………………………………… （ 9 ）
  4.1 电气主接线 ………………………………… （ 9 ）
  4.2 主要设备选择 ……………………………… （ 9 ）
  4.3 绝缘水平及过电压保护 …………………… （11）
  4.4 串补平台及电气总平面布置 ……………… （12）
  4.5 站用电及照明 ……………………………… （12）
  4.6 防雷接地 …………………………………… （12）
  4.7 电缆设施 …………………………………… （12）
  4.8 电气一次部分图纸 ………………………… （13）
  4.9 计算项目及深度要求 ……………………… （14）
5 二次部分 ………………………………………… （16）
  5.1 监控系统 …………………………………… （16）
  5.2 继电保护 …………………………………… （16）

5.3 调度自动化和通信 …………………………………………（17）
5.4 直流电源及交流不间断电源 …………………………………（17）
5.5 辅助二次系统 …………………………………………………（18）
5.6 二次设备布置 …………………………………………………（18）
5.7 二次部分图纸 …………………………………………………（18）
5.8 计算项目及深度要求 …………………………………………（20）
6 土建部分 ………………………………………………………（21）
  6.1 站址总体规划及总布置 ………………………………………（21）
  6.2 建筑物设计方案 ………………………………………………（24）
  6.3 土建结构及地基处理 …………………………………………（25）
  6.4 土建部分图纸 …………………………………………………（26）
  6.5 计算项目及深度要求 …………………………………………（29）
7 水工、暖通及消防部分 ………………………………………（31）
  7.1 给水系统 ………………………………………………………（31）
  7.2 排水系统 ………………………………………………………（31）
  7.3 阀冷却系统 ……………………………………………………（32）
  7.4 采暖通风与空调 ………………………………………………（32）
  7.5 消防 ……………………………………………………………（32）
  7.6 水工、暖通及消防部分图纸 …………………………………（32）
  7.7 计算项目及深度要求 …………………………………………（33）
8 水土保持和环境保护 …………………………………………（34）
  8.1 环境保护 ………………………………………………………（34）
  8.2 水土保持 ………………………………………………………（34）
  8.3 节能减排 ………………………………………………………（34）
9 劳动安全卫生 …………………………………………………（35）
  9.1 概述 ……………………………………………………………（35）
  9.2 防治措施 ………………………………………………………（35）
10 施工及设备运输条件 …………………………………………（36）
11 主要设备材料清册 ……………………………………………（37）

11.1 编制内容及要求	(37)
11.2 编制说明	(37)
11.3 编制分项	(37)
12 概算部分	(38)
12.1 概述	(38)
12.2 编制原则和依据	(38)
12.3 投资分析	(39)
12.4 概算表及附表	(39)
本标准用词说明	(41)

Contents

1 General provisions ·· (1)
2 General description of design ····················· (3)
   2.1 Overview ··· (3)
   2.2 General introduction of station site ················· (4)
   2.3 Main principles and problems ····················· (4)
   2.4 Technical scheme and main economic indicators ············ (5)
3 Power system ·· (7)
   3.1 General introduction of the system ················ (7)
   3.2 Construction project and conditions of the system ············ (7)
   3.3 Performance requirements for series compensator ············ (7)
   3.4 Requirements for drawing ························ (8)
4 Primary electrical ·· (9)
   4.1 Main electrical circuit connection ················· (9)
   4.2 Main equipment selection ························ (9)
   4.3 Insulation level and over-voltage protection ················· (11)
   4.4 Series compesator platform and the electrical general layout plan ··· (12)
   4.5 Station power supply and lighting system ················· (12)
   4.6 Lightning protection and grounding ················· (12)
   4.7 Cable facilities ······································· (12)
   4.8 Requirements for drawing ························ (13)
   4.9 Calculation items and requirement ················ (14)
5 Secondary electrical ··· (16)
   5.1 Computer monitoring system ······················ (16)

5.2 Relay protection ……………………………………………… (16)
5.3 Dispatching automation system and telecommunication …… (17)
5.4 DC power supply and AC uninterrupted power supply …… (17)
5.5 Auxiliary quadratic system ……………………………………… (18)
5.6 Auxiliary system and arrangement of secondary
    equipment ………………………………………………………… (18)
5.7 Requirements for drawing ……………………………………… (18)
5.8 Calculation items and requirement …………………………… (20)
6 Civil works …………………………………………………………… (21)
6.1 Station site general planning and layout …………………… (21)
6.2 Buildings design plan ………………………………………… (24)
6.3 Strucure and foundation treatment …………………………… (25)
6.4 Requirements for drawing ……………………………………… (26)
6.5 Calculation items and requirement …………………………… (29)
7 Hydraulic and heating & ventilating and fire
  fighting part ……………………………………………………… (31)
7.1 Water supply system …………………………………………… (31)
7.2 Drainage system ………………………………………………… (31)
7.3 Valve cooling system …………………………………………… (32)
7.4 Heating & ventilating and air conditioning ………………… (32)
7.5 Fire fighting part ……………………………………………… (32)
7.6 Requirements for drawing ……………………………………… (32)
7.7 Calculation items and requirement …………………………… (33)
8 Enviromental protection, soil and water
  conservation ……………………………………………………… (34)
8.1 Enviromental protection ……………………………………… (34)
8.2 Soil and water conservation …………………………………… (34)
8.3 Energy-saving and emission-reduction ……………………… (34)
9 Occupational safety and health ………………………………… (35)

9.1　Overview ……（35）
9.2　Prevention and cure measure ……（35）
10　Construction and equipment transportation condition ……（36）
11　List of main equipment and material ……（37）
　11.1　Content and requirement ……（37）
　11.2　Explanation ……（37）
　11.3　Subentry ……（37）
12　Budgetary estimate part ……（38）
　12.1　Overview ……（38）
　12.2　Principle and basis of compilation ……（38）
　12.3　Investment analysis ……（39）
　12.4　Budgetary estimate table and appendix ……（39）
Explanation of wording in this code ……（41）

1 总 则

1.0.1 为了规范串补站工程初步设计文件的编制,满足内容和深度的要求,制定本标准。

1.0.2 本标准适用于220kV～1000kV串补站工程,包括单独建设、与变电站合并建设以及毗邻已有变电站建设的串补站工程的初步设计文件编制。

1.0.3 本标准只对设计的内容深度做出要求,不作为各设计单位内部专业分工和卷册划分标准。

1.0.4 初步设计文件的编制应遵守国家及有关部门颁发的设计文件编制和审批办法的规定。

1.0.5 初步设计文件的编制应执行国家规定的基本建设程序。核准的可行性研究报告和设计基础资料是初步设计的前提条件。

1.0.6 初步设计文件应贯彻国家各项技术方针、政策及上级部门对工程建设的要求,并应符合国家现行有关标准的规定。

1.0.7 初步设计文件应包括下列内容:

1 设计文件总目录;
2 设计说明书及其附件;
3 设计图纸;
4 主要设备材料清册;
5 概算书;
6 勘测报告;
7 专题报告(如果有)。

1.0.8 初步设计文件编制应符合下列要求:

1 说明书、设备材料清册和概算书宜按A4版面出版,设计图纸不宜大于1号,文件内容应清晰;设计说明书应包括设计总的部分和各专业部分设计说明；封面应写明项目名称、设计阶段、编制单位、编制年月；扉页应写明设计人、校核人、审核人和批准人，并经上述人员签署；

  2 设计说明书、设计图纸、设备材料清册和概算书宜单独成册，可不分专业成册；设计文件总目录宜与设计说明书合并，位于设计说明书目录前面；

  3 对于串补站改、扩建工程，应说明工程已建及规划情况，图纸应采用规定的线型标明已建、本期和远期规模；

  4 初步设计文件中应包含外委项目（如果有）的初步设计文件，主体设计单位应负责概算汇总。

1.0.9 对设计中的重大问题，应进行多方案的技术经济比较，并提出推荐方案。当进行专题论证时，应对各方案中各专业的技术优缺点、工程量及技术经济指标做详细论述。

1.0.10 初步设计内容深度应满足下列要求：

  1 设计方案的确定；

  2 主要设备材料的确定；

  3 土地的征用；

  4 建设投资的管理；

  5 施工图设计的编制；

  6 施工和生产的准备。

1.0.11 本标准未能涉及的问题，应结合工程具体情况加以说明。

2 设计总说明

2.1 概　　述

2.1.1 工程设计的主要依据应包括下列内容：

　　1　国家相关的政策、法规和规章；

　　2　工程设计有关的规程、规范；

　　3　政府和上级有关部门批准、核准的文件；

　　4　可行性研究报告及评审文件；

　　5　设计中标通知书或委托文件；

　　6　城乡规划、建设用地、水土保持、环境保护、防震减灾、地质灾害、压覆矿产、文物保护、给排水、消防和劳动安全卫生等相关部门的批复意见。

2.1.2 工程建设规模和设计范围应包括下列内容：

　　1　工程建设规模应说明装设串补装置的出线回路数、线路串补度、串补装置的容量，如存在远景预留，应包括远期规模；

　　2　设计范围及工作界面应说明本工程设计的范围和外部协作项目的分工界面，包括与串补装置成套供货商分工界面等。对与变电站合并建设的串补站或毗邻已有变电站建设的串补站，应说明串补站与变电站的衔接和配合。

2.1.3 初步设计文件的附件应包括下列内容：

　　1　项目核准批复文件；

　　2　外委项目（如果有）有关协议；

　　3　上级部门有关文件、批文，与本工程有关的其他协议和会议纪要；

　　4　与串补装置成套供货商确认的主要技术内容。

2.2 站址概况

2.2.1 站址自然条件应包括下列内容：

1 说明站址地理位置,所在地的省、市、区(县)、乡镇街道的名称,站址位置地、市与城市的相互位置关系;简述站址周围自然与人文环境、道路、交通、市政基础设施与公共服务设施情况,以及四邻原有的和规划的主要建(构)筑物等设施;

2 概述场地地形地貌,描述场地内原有土地情况,原有植被、沟渠、水塘、输电线路、通信设施、市政基础设施、民房、坟墓等建(构)筑物和拆迁等情况;

3 概述站址区域公路、铁路、水运、航运现状及发展规划,进站道路引接公路的等级、路宽及路况,设备运输的卸货地点及卸货地点至站址的运输路径和距离,沿途经过的桥梁与涵洞的数量、等级、规模和状况。

2.2.2 说明进出线走廊条件和站址周围环境,对于在已有线路中建设的串补站,还要说明线路改切工作量和实施步骤。

2.2.3 工程地质、水文地质和水文气象应包括下列内容：

1 概述站区地形地貌、地层分布、地质构造、各层岩土的物理力学性质及主要指标,不良地质作用,软弱层和不稳定与特殊性岩土层沿水平和垂直方向的分布情况;站区地震基本烈度及确定的依据,地震动峰值加速度;地下水类型、埋深及对建筑材料腐蚀性的评价;场地土类别和建筑物的场地类型;

2 说明站址区域的气温、降雨量、温度、风速、风向、暴雨强度、雷雨日数、沙尘、积雪(覆冰)厚度、土壤冻结深度、盐雾污染、洪水及内涝等情况。

2.3 主要技术原则及存在问题

2.3.1 主要技术方案包括串补装置的接线、串补装置的技术性能、串补装置的布置形式、串补站运行管理模式、控制保护、调度自动化、通信、总平面及竖向布置、建筑方案等。

2.3.2 提请在设计评审时需确定的主要问题应包括下列内容：

1 有关城乡规划、建设用地、拆迁赔偿、水源、电源、道路和设备运输等问题；

2 总概算（投资）存在的问题；

3 其他需要说明的问题。

2.4 技术方案和主要经济指标

2.4.1 推荐的技术方案和主要经济指标见表2.4.1。

表2.4.1 推荐的技术方案和主要经济指标

序号	项目	技术方案和经济指标
1	线路电压等级(kV)	
2	线路串补度(%)	
3	串补装置额定电流(kA)	
4	串补装置容量(Mvar)	
5	串补装置安装套数	
6	串补装置接线	
7	串补装置布置型式	
8	串补装置平台尺寸，长×宽×高(m×m×m)	
9	串补装置MOV热容量(MJ)	
10	地区污秽等级/设备选择的污秽等级	
11	控制方式及运行管理模式	
12	站外电源方案/架空线长度(km)/电缆长度(km)	
13	电力电缆(km)	
14	控制电缆(km)/光缆(km)	
15	接地材料/长度(km)	

续表 2.4.1

序号	项目	技术方案和经济指标
16	串补站总用地面积(hm^2)	
17	围墙内占地面积(hm^2)	
18	进站道路长度 新建/改造(m)	
19	串补站总土石方工程量及土石比 挖方/填方(m^3)	
20	弃土工程量/购土工程量(m^3)	
21	边坡工程量 护坡/挡土墙(m^2/m^3)	
22	站内道路面积(m^2)	
23	电缆沟长度(m)	
24	总建筑面积(m^2)	
25	地震动峰值加速度	
26	地基处理方案和费用	
27	动态投资(万元)	
28	静态投资(万元)	
29	建筑工程费用(万元)	
30	设备购置费用(万元)	
31	安装工程费用(万元)	
32	其他费用(万元)	
33	建设场地租用及清理费用(万元)	

3 电力系统部分

3.1 电力系统概况

3.1.1 应简述串补站所在系统近区的电力系统现况及发展规划。

3.1.2 应说明串补站建设的系统背景。

3.2 建设方案及系统条件

3.2.1 建设方案应包括下列内容：

　　1 论述串补站在系统中的地位和作用，明确串补站投产时间要求；应对可行性研究阶段确定的系统建设方案进行复核，如果有主要边界条件变化，应提出相应的论证报告；

　　2 说明工程建设方案，包括线路串补度和串补装置的安装位置、容量、套数、型式（固定串补、可控串补）、是否分段等内容；对于装有线路高抗的工程，还应论述串补站和线路高抗的相对位置关系。

3.2.2 串补装置设计时应确定下列交流系统条件：

　　1 线路电压及波动范围；

　　2 系统频率及波动范围；

　　3 系统等值；

　　4 系统最大摇摆电流及其摇摆曲线；

　　5 系统最大短路电流水平；

　　6 相关保护定值以及故障清除时间；

　　7 系统的背景谐波参数（对可控串补装置）。

3.3 系统对串补装置的要求

3.3.1 串补装置的基本定值应包括额定容量、额定容抗、额定容抗提升因子(对可控串补装置)、额定电流、阻抗及无功功率的偏差要求、电容器耐受过负荷能力等。

3.3.2 系统过电压研究应包括下列内容：
    1 系统最大工频过电压水平；
    2 系统最大操作过电压水平；
    3 系统最大潜供电流水平；
    4 线路两端断路器的暂态恢复电压水平；
    5 对串补线路高抗及中性点小电抗的绝缘校核；
    6 MOV容量要求；
    7 可能存在的次同步谐振风险及其防范措施。

3.3.3 应明确对串补装置的可靠性指标、串补装置的损耗等其他要求。

3.4 电力系统图纸

3.4.1 电力系统图纸目次见表3.4.1。

表3.4.1 电力系统图纸目次

序号	图纸目次	备注
1	串补建设方案图	串补建设方案图可包含在电力系统规划图里面
2	系统等值图	—
3	摇摆电流曲线	—

3.4.2 图纸深度应符合下列要求：
    1 系统等值图应满足电力系统电磁暂态仿真计算要求；
    2 摇摆电流及其曲线应满足MOV容量计算要求。

4 电气一次部分

4.1 电气主接线

4.1.1 说明串补站的建设规模,包括串补装置的容量和安装套数等。

4.1.2 说明串补装置接线的确定条件及考虑因素,并给出串补装置的原理接线图,描述各组成设备名称及相应功能。

4.1.3 说明串补装置串联隔离开关和旁路隔离开关及其接地刀的装设原则。

4.1.4 说明串补站线路避雷器和电容式电压互感器的设置原则。

4.1.5 对于需要装设通信用阻波器的串补站,说明阻波器的装设原则。

4.2 主要设备选择

4.2.1 说明主要设备的选择原则和依据。

4.2.2 各主要设备技术性能要求的说明应符合下列规定:

  1 电容器组应包括下列内容:

    1)电容器单元的元器件材质、介质损耗、容抗偏差、重量、绝缘介质的平均场强值、套管型式(双套管或单套管)、熔丝型式(内熔丝或无熔丝)、接线方式(H型或分支型)等;

    2)电容器组过电压保护水平、额定相电压、每相容抗值、额定容量以及每相电容器串并联单元数量;

    3)设备绝缘水平,包括电容器单元、电容器框架层间、电容器框架对串补平台的雷电冲击耐受电压、1分钟工频耐受电压,爬电距离。

  2 金属氧化物限压器(MOV)应包括下列内容:

1）额定电压、过电压保护水平、伏安特性；
　　2）每相并联 MOV 单元的数量（包含热备用/不包含热备用）、每相的额定热容量（包含热备用/不包含热备用）；
　　3）阀片特性,包括阀片尺寸、最大吸收能力、额定吸收能力；
　　4）设备外壳材质及绝缘水平,包括雷电冲击耐受电压、1 分钟工频耐受电压,爬电距离。
　3　保护火花间隙应包括下列内容：
　　1）触发延迟时间、最大承受电流及其持续时间和次数、去游离时间；
　　2）自放电电压、最低可触发电压；
　　3）设备绝缘水平,包括雷电冲击耐受电压、1 分钟工频耐受电压,爬电距离。
　4　限流阻尼设备应包括下列内容：
　　1）设备组合型式（包括电抗器与 MOV 串电阻器支路并联、电抗器与间隙串电阻器支路并联）；
　　2）电抗器的电感值、电阻器的电阻值及吸收能耗、MOV 额定电压及吸收能耗、间隙最大承受电流；
　　3）阻尼作用下的峰值放电电流、放电频率；
　　4）设备绝缘水平,包括雷电冲击耐受电压、1 分钟工频耐受电压,爬电距离。
　5　旁路断路器应包括下列内容：
　　1）额定电压、断口额定电压、断口峰值耐受电压、额定电流、热稳定电流（短时耐受电流）、动稳定电流（最大关合电流）、合闸时间、分闸时间、操作顺序；
　　2）设备对地绝缘水平,包括雷电冲击耐受电压、操作冲击耐受电压、1 分钟工频耐受电压,爬电距离；
　　3）设备断口间绝缘水平,包括雷电冲击耐受电压、1 分钟工频耐受电压,爬电距离。

6 隔离开关应包括下列内容：
  1）额定电压、额定电流、热稳定电流、动稳定电流；
  2）开合转移电流的能力，包括转移电流、开断次数、转移电压；
  3）设备绝缘水平，包括雷电冲击耐受电压、操作冲击耐受电压、1分钟工频耐受电压，爬电距离。
7 绝缘子应包括下列内容：
  1）平台上支柱绝缘子的额定电压、绝缘水平、爬电距离；
  2）平台支柱绝缘子和斜拉绝缘子的额定电压、绝缘水平、爬电距离、抗弯强度、抗压强度和抗扭强度。
8 电流互感器应包括下列内容：
  1）串补装置各支路电流互感器的配置；
  2）串补装置各支路电流互感器的型号和参数。
9 线路避雷器应包括下列内容：
  1）额定电压和爬电距离；
  2）雷电冲击残压、通流能量、放电电流。
10 线路电容式电压互感器应包括下列内容：
  1）额定电压、爬电距离和额定电容值；
  2）绝缘水平。

4.3 绝缘水平及过电压保护

4.3.1 说明串补装置绝缘水平的要求，包括雷电冲击耐受电压、操作冲击耐受电压、1分钟工频耐受电压、相对地空气净距、相间空气净距、带电导线的最小对地高度、无遮栏绝缘体底部距地面最小净距。

4.3.2 说明串补站的雷电侵入波保护方式，需要有技术专题论证。

4.3.3 说明串补站的污秽等级，提出串补装置对地爬距及绝缘子串的型式和片数选择。

4.4 串补平台及电气总平面布置

4.4.1 说明串补平台的型式及外廓尺寸。

4.4.2 说明串补平台的布置及串补装置接入线路的方式。

4.4.3 根据串补平台的布置特点,提出串补站电气总平面布置方案。

4.4.4 对于在已运行线路加装串补装置,还应说明停电过渡方案的实施要求,如有必要需根据工程实际情况进行专题论证。

4.5 站用电及照明

4.5.1 说明站用电电源的引接及站用电接线方案。

4.5.2 说明站用负荷计算结果,进行站用变压器容量选择。对与变电站合并建设或毗邻已有变电站建设的串补站,应核实原站用变压器容量。

4.5.3 简要说明站用配电装置的布置及设备选型。

4.5.4 说明工作照明、事故照明的供电方式及控制方式。

4.5.5 对于单独建设的串补站,站外电源引接方案设计应在工程设计时同步完成,包括线路及对侧变电站间隔扩建内容。提交的设计文件深度应满足初步设计要求。

4.6 防雷接地

4.6.1 说明串补站的防直击雷保护方式。

4.6.2 提供串补站土壤电阻率和腐蚀情况,说明接地材料选择、接地装置设计技术原则及接地电阻、接触电位差和跨步电位差计算结果,需要采取的降阻、隔离、绝缘措施方案。

4.6.3 说明二次系统对防雷、接地的要求。

4.6.4 对于毗邻已有变电站建设的串补站,应对原有地网进行校验。

4.7 电缆设施

4.7.1 说明串补站电缆沟道的布置和截面、电缆敷设方式选择。

4.7.2 说明电缆的选型及其构筑物采取的防火和阻燃措施。

4.8 电气一次部分图纸

4.8.1 电气一次部分图纸目录见表4.8.1。

表4.8.1 电气一次部分图纸目次

序号	图纸名称	比例	备注
1	串补装置接线图	—	对于与变电站合并建设或毗邻已有变电站建设的串补站,应包含变电站的接线
2	电气总平面布置图	1:100~1:2000	—
3	串补装置断面布置图	1:100~1:200	—
4	站用电接线图	—	—
5	站用电室平面布置图	1:100~1:200	—
6	站区直击雷保护范围图	1:100~1:2000	—

4.8.2 图纸深度应符合下列要求:

1 串补装置接线图应表示串补装置的接线方式以及串补装置主要组成电气设备包括如电容器组、MOV、保护火花间隙、限流阻尼设备、旁路断路器、隔离开关、电流互感器,线路避雷器、线路电容式电压互感器、阻波器(如果有)的配置,并在图中示意出串补装置成套供货商的供货范围;标注图中设备主要技术参数和导体型号;通过采用不同线型对串补站原有部分、本期及预留扩建部分加以区分;

2 电气总平面布置图应表示串补装置、其他电气设备、站区建(构)筑物、电缆沟道及道路等的布置;应表示串补装置回路间隔配置及线路引接方式;串补平台和出线应标注相序;布置图应标明方位、标注位置尺寸,并附必要的说明及图例;

3 串补装置断面图应按每相串补平台出图,表示串补装置位置、尺寸、高度、导线引接方式、电气距离校验等,并在图中示意出串补装置成套供货商的供货范围；

4 站用电接线图应表示站用工作及备用电源的引接方式、站用母线的接线方式；标注开关柜型号、回路名称、主要设备及元件规范等；

5 站用电室布置图应表示开关柜布置、室内通道、出入口位置等，并标注有关尺寸；当站用变压器布置在站用电室内时，还应表示出站用变压器的布置位置及尺寸；

6 站区直击雷保护范围图应表示需要进行保护的电气设备、建（构）筑物的平面布置，并标注其高度；应表示避雷针（线）的布置位置，并标注其高度；应绘出对不同保护高度的保护范围；宜将保护范围计算结果列表于图中。

4.9 计算项目及深度要求

4.9.1 电气一次部分计算项目见表4.9.1，具体工程可视需要增减。设计文件引述计算依据、计算条件和计算结果。

表4.9.1 电气一次部分计算项目目次

序号	计算项目	备注
1	仿真计算及设备参数选型研究	由串补装置成套供货商提供
2	串补装置绝缘配合研究	由串补装置成套供货商提供
3	导体的电气及力学计算	工程需要时进行
4	雷电侵入波分析计算	工程需要时进行
5	配电装置的电气校核计算	工程需要时进行
6	接地装置计算	—
7	站用电负荷计算	—

4.9.2 计算书深度应符合下列要求：

1 应进行导体的电气及力学计算；

2 应进行串补站雷电侵入波分析计算，提出线路避雷器的配置方案；

3 根据工程具体情况,对配电装置的间宽度,构架的高度、宽度,导线最大弧垂以及各种状态的电气净距进行校验;

4 应计算接地电阻、接地装置截面、接触电位差、跨步电位差;

5 应进行站用电负荷统计和计算,并编制负荷计算表;

6 各方案的技术经济比较计算,视方案比较需要进行。一般宜对技术和经济作综合性比较,并列表表示。

5 二次部分

5.1 监控系统

5.1.1 依据串补站管理模式(有人值班、无人值班少人值守、无人值班)说明计算机监控系统的技术原则及设计方案,包括下列内容:

  1 计算机监控系统的整体体系结构,依据控制地点的不同,说明监控系统的分层控制方案;

  2 站控层与控制层、控制层与就地层通信所采用的技术标准及网络技术方案;

  3 计算机监控系统的主要功能及软件、硬件配置原则;

  4 必要时对防止误操作闭锁方案进行方案比选。

5.1.2 说明串补站控制系统的监测、监控范围及信息内容。

5.1.3 说明站控层、控制层、就地层设备及网络设备配置原则及组屏方案。

5.1.4 串补站与变电站合建时,概述变电站监控系统的现状,提出串补控制保护系统与变电站计算机监控系统的接口设计方案。

5.2 继电保护

5.2.1 说明串补站主要一次元件(电容器组、MOV、间隙、旁路断路器)保护配置原则及保护组屏方案。

5.2.2 说明串补装置保护与线路保护联动的技术接口要求及相关设备的配置方案。

5.2.3 根据可行性研究设计阶段的研究成果,说明串补站对相邻变电站保护的影响,并提出相关线路保护配置的调整方案。

5.2.4 说明串补站故障录波器、保护及故障录波信息管理子站的配置原则和组屏方案。

5.2.5 说明串补站保护对电流互感器、电压互感器(如果有)、直流电源的技术及配置要求。

5.2.6 根据可行性研究阶段的系统安全稳定校核计算结论,需要时,同步开展安全稳定控制系统专题单项工程设计(包括过渡期方式适应性分析)。

5.3 调度自动化和通信

5.3.1 说明串补站各相关调度中心现有调度自动化系统的现状及调度管理关系,当串补站与变电站合建或毗邻已有变电站建设时,应概述变电站的调度管理关系及现状。

5.3.2 根据调度关系,说明串补站远动系统配置原则和方案,明确远动信息采集范围和传输要求。当有集控中心监控时,应明确其与集控中心之间的双向信息传输内容和要求。

5.3.3 说明串补站调度数据网接入设备的配置要求和网络接入方案。

5.3.4 说明串补站二次系统安全分区及安全防护设备配置方案和要求。

5.3.5 叙述通信网现况,根据通信网现况及远动、保护、通信等通道要求,提出串补站系统建设的通信方案。

5.3.6 叙述必要时结合图表,说明各个通道的组织情况。

5.3.7 说明串补站站内通信方案、组网方式及配置原则。

5.3.8 根据可行性研究结论,同步完成通信单项工程的初步设计。

5.4 直流电源及交流不间断电源

5.4.1 说明串补站直流电源系统设计方案,包括操作电源系统的电压、电压的选择、接线方式、直流系统供电和配置方案等。

5.4.2 说明串补站交流不间断电源系统的设计及配置方案。

5.4.3 根据串补站的管理模式,统计全站负荷。按事故放电时间计算蓄电池组、充电设备的容量。

5.4.4 串补站与变电站合建或毗邻已有变电站建设时,应核实变电站的直流电源系统、交流不停电电源系统的配置现状,提出串补站直流电源、交流不停电电源系统的设计及配置方案。

5.5 辅助二次系统

5.5.1 说明串补站时钟同步系统设计原则及方案,包括站控层、控制层和就地层的各类设备对时方案、接口要求及设备配置。

5.5.2 说明串补站安全监视系统设计原则及方案,包括功能、监视范围、设备布点及远传通道要求。

5.5.3 说明火灾报警系统设计原则及方案,包括系统结构、主要功能及设备布置。

5.5.4 对于可控串补站,还应说明阀冷却控制保护系统的配置原则和设计方案。

5.5.5 说明针对控制保护系统的主要抗干扰措施。

5.5.6 串补站与变电站合建或毗邻已有变电站建设时,应概述变电站的辅助二次系统现状,提出串补站辅助二次系统配置及接口要求。

5.6 二次设备布置

5.6.1 说明控制室/就地继电器室、蓄电池室的设置原则及方案。

5.6.2 说明控制室/就地继电器室、蓄电池室内二次设备的布置方案。

5.7 二次部分图纸

5.7.1 二次部分图纸目次见表 5.7.1。

表 5.7.1 二次部分图纸目次

序号	图 纸 名 称	备 注
1	监控系统方案配置图	—
2	串补装置保护配置图	—
3	直流系统接线图	—
4	控制室/就地继电器室二次设备屏位布置图	屏位应标明用途、本期、预留
5	二次系统安全分区及安全防护设备配置图	宜采用插图方式
6	系统通信现状图	—
7	系统通信方案图	—
8	通信机房设备布置图	可与其他专业合并出图

5.7.2 图纸深度应符合下列要求：

1 监控系统方案配置图应表示计算机监控系统至站控层各工作站、远动通信网关、就地层的采集单元、网络连接的结构示意，与保护等其他外部系统的接口、打印机、显示器等设备的配置；

2 串补装置保护配置图应表示串联补偿装置的保护配置原理，主要保护方式及数据流向，与外部计算机系统接口示意，主要设备名称、电流互感器接线方式、变比、精度等主要参数；

3 直流系统接线图应表示直流系统的接线方式，蓄电池型号和数量，端电池的设置、充电、浮充电设备及馈线数量等，并表示与系统图有关的主要设备规范；

4 控制室/就地继电器室二次设备屏位布置图应表示控制室/就地继电器室控制屏（台）、保护屏等二次设备的布置方式，布置尺寸；图中应有屏编号、名称、型式、本期及预留屏位对照表；

5 二次系统安全分区及安全防护设备配置图应表示二次系统的安全分区、安全防护设备的配置；

6 串补站接入系统前通信系统现状图应表示各级通信网的网络现状；

7 串补站接入系统后通信方案图应表示主用通道和备用通

道的通信方式和通信方案；

8 通信机房设备布置图（可与其他专业合并出图）应表示通信设备的数量和屏位布置。

5.8 计算项目及深度要求

5.8.1 计算项目包括蓄电池及充电设备参数选择。

5.8.2 计算深度应符合下列要求：

1 对直流负荷进行分类统计；

2 蓄电池参数选择应包括蓄电池个数、均充电压、终止电压和蓄电池容量；

3 充电设备参数选择应包括充电装置额定电流、输出电压和高频开关电源模块配置及数量。

6 土建部分

6.1 站址总体规划及总布置

6.1.1 站址总体规划应包括下列内容：

1 论述串补站总体规划的基本原则及影响站区总体规划的外部因素；与变电站合并建设或毗邻已有变电站建设的串补站应结合变电站的现状和远景规划，说明串补站利用变电站公共设施的有利条件及受限制的外部条件；

2 说明站区与当地城乡及工矿企业（包括机场、油气管道、通信光缆等）的关系，利用就近的生活、交通、给排水、防洪等设施的条件；说明站区周边交通、进站道路及引接、线路出线方向、站外水源及电源、站外排水、总平面布局、环境保护、拆迁、还建道路、还建水系等方面的情况；

3 说明站区总平面与竖向布置结合地形或利用原有变电站布置特点进行串补站布置的措施和特点、对主要建筑物朝向和风向的考虑、避开不良地质和节约用地的措施；

4 说明站区定位所采用的坐标、高程系统；

5 说明站区及周边防洪防涝设施的现状、规划情况，及满足串补站防洪、防涝标准应采取的措施和方案。

6.1.2 总平面布置应包括下列内容：

1 根据工艺布置特点，结合土地性质、地形、地质、地下管线走廊、日照、交通以及拆迁还建、环境保护、绿化等要求，进行不少于2个站区总平面布置方案比较，并进行技术经济比较，提出推荐方案；

2 说明远近期总平面布置方案的协调措施和处理方案；

3 说明串补装置及主控通信室的布置方位（结合地质条件和

地基处理方案、出线方向、扩建条件及检修要求）及与四周环境的协调；

  4 说明串补站大门与进站道路引入方向的选择及进站道路路面宽度、平曲线半径、坡度和路面结构、站前区的总体布局等；

  5 说明附属建筑物、大门及围墙、供排水等建构筑物的布置方案；

  6 串补站与变电站合建或毗邻已有变电站建设时，应说明串补站建设与变电站的协调性和公用性特点。

6.1.3 竖向布置应包括下列内容：

  1 说明站址范围1‰山洪频率或站址附近水域的1‰频率洪水位或历史最高内涝水位情况，说明站址防洪或防内涝措施，必要时应进行专题研究，说明竖向设计的依据（如地形、洪涝水位、土方平衡、道路引接和管道的标高、排水等情况）；

  2 说明竖向布置方式（平坡式或阶梯式），站内主要生产建筑及串补装置场地设计标高、场地坡度等；

  3 说明土方挖填工程量（含须清除的淤泥和耕植土）及土石比，取土或弃土方案的选定（包括取弃点的位置和距离及相关协议或文件）；

  4 说明站区的边坡设计方案和工程量；

  5 说明场地地表雨水的排放方式（散排、明沟或暗管）及其排放地点的地形与高程等情况。

6.1.4 管沟布置应包括下列内容：

  1 简述管沟选型、截面尺寸及地下管线的布置方案；

  2 说明特殊地质条件（湿陷性黄土、膨胀土和冻土等）管沟的布置措施。

6.1.5 道路及场地处理应包括下列内容：

  1 站外道路的路径规划、引接、坡度及道路技术等级标准，改造道路的工程量及改造方案；

  2 站内道路的布置原则（道路形式的选择和路面宽度、转弯

半径及路面结构的确定);
  3 消防通道的设置;
  4 站区场地及屋外配电装置场地地面的处理。
6.1.6 总平面主要技术指标见表6.1.6。

表6.1.6 总平面主要技术经济指标

序号	指标名称	单位		数量	备注
1	站址总用地面积	hm^2			
1.1	围墙内用地面积	hm^2			
1.2	进站道路用地面积	hm^2			
1.3	边坡挡墙用地面积	hm^2			
1.4	其他用地面积	hm^2			
2	进站道路长度(新建/改造)	m			
3	站址总土石方工程量	挖方	m^3		土石比
		填方			
3.1	站区土石方工程量	挖方	m^3		土石比
		填方			
3.2	进站道路土石方工程量	挖方	m^3		土石比
		填方			
3.3	外购土工程量	m^3			
3.4	外弃土工程量	m^3			
4	围墙长度	m			
5	挡土墙体积	m^3			
6	护坡面积	m^2			
7	站内道路广场面积	m^2			
8	巡视小道及绝缘地坪	m^2			
9	电缆沟长度(600mm及以上)	m			
10	站区总建筑面积	m^2			

续表 6.1.6

序号	指标名称	单位	数量	备注
11	站内给水管线长度	m		不包括消防管路
12	站内排水管线长度	m		
13	站外供水管线长度	m		
14	站外排水管线(沟渠)长度	m		

6.2 建筑物设计方案

6.2.1 全站建筑物一览表包括表 6.2.1 中相关内容。说明各建筑物名称、火灾危险性类别和耐火等级、建筑面积、层数、层高，说明全站总建筑面积。

表 6.2.1 全站建筑物一览表

名称	面积(m²)	火灾危险性类别	耐火等级	层数	层高	本/远期
主控通信室						
……						
总建筑面积						

6.2.2 主要建筑物应包括下列内容：

1 简述建筑物使用功能和工艺要求，确定建筑平面布置、层高、垂直及水平交通的组织、安全出入口的布置及采光、通风、隔热保温、节能、防眩光、防噪声、消防及为适应其他环境条件所采取的技术措施；

2 简述建筑的功能分区，建筑平面布局和建筑组成，以及建筑立面造型、色彩处理与周围环境的关系；

3 选定围护材料，明确建筑室内外装修标准：如楼地面、内外墙、顶棚(含吊顶)、屋面防水等级和材料的选择及做法、门窗选型等。

6.2.3 辅助建筑物应包括下列内容：

1 建筑面积的确定依据；

2 平面布置、立面处理及装修标准。

6.2.4 主要建筑材料应包括下列内容：

1 混凝土强度等级和钢材品种、规格；

2 各种建筑装饰材料、保温隔热材料、砌体材料等；

3 地方性建筑材料情况。

6.3 土建结构及地基处理

6.3.1 设计依据应包括下列内容：

1 相应的工程地质勘察报告及其主要内容，包括：站址地震动峰值加速度、建筑场地类别、地基液化判别；工程地质和水文地质简况、地基土冻胀性和融陷、湿陷等情况，着重对场地的特殊地质条件分别予以说明；

2 采用的设计荷载，包含工程所在地的风荷载和雪荷载、覆冰厚度、楼（屋）面使用荷载、其他特殊的荷载。

6.3.2 主要建筑物结构方案应包括下列内容：

1 建筑物的结构设计安全等级、设计使用年限、抗震设防类别和抗震设防烈度；

2 上部结构选型；

3 地基基础设计等级、基础结构形式、基础埋置深度及地基持力层名称；

4 新技术、新结构、新材料、新工艺的采用。

6.3.3 辅助建筑物结构方案应包括下列内容：

1 建筑物的结构设计安全等级、设计使用年限、抗震设防类别和抗震设防烈度；

2 建筑物结构形式、地基基础设计等级、基础结构形式、基础埋置深度及地基持力层名称。

6.3.4 串补装置构（支）架应包括下列内容：

1 构架的结构设计安全等级、设计使用年限、抗震设防类别和抗震设防烈度；

2 构架结构选型及布置方案；

3 构架梁、柱断面的确定及节点形式；

4 设备支架结构选型；

5 地基基础设计等级、基础结构形式、基础埋置深度及地基持力层名称；

6 构(支)架的选材标准与防腐处理。

6.3.5 串补平台及基础应包括下列内容：

1 串补平台的结构设计安全等级、设计使用年限、抗震设防类别和抗震设防烈度；

2 串补平台结构形式及布置方案，串补平台抗震分析；

3 地基基础设计等级、基础结构形式、基础埋置深度及地基持力层名称，防止不均匀沉降措施。

6.3.6 地基处理应包括下列内容：

1 说明地基处理方案，包括根据站址地质条件和场地平整挖填情况；

2 对建(构)筑物基础方案进行论述。对软弱地基和特殊地基，宜进行地基处理方案的技术经济比较；采用桩基时，应说明桩的类型、桩端持力层及进入持力层的深度。

6.4 土建部分图纸

6.4.1 土建部分图纸目次见表6.4.1。

表6.4.1 土建部分图纸目次

序号	图纸名称	比例	备注
1	站区总体规划图	1:10000	图纸应内嵌相对于地级市以上城市的站址地理位置图
2	总平面布置图	1:500～1:1000	各方案，包括主要技术经济指标表

续表 6.4.1

序号	图纸名称	比例	备注
3	竖向布置图	1:500～1:1000	各方案
4	土方平衡图	1:500～1:1000	各方案,附土石方工程量指标
5	进站道路平面图和纵断面图	1:500～1:1000	根据需要
6	主控通信室平、立剖面图	1:100～1:200	包括不同方案
7	其他建筑物平、立剖面图	1:100～1:200	—
8	构架透视图	—	包括主要材料表
9	串补平台结构布置及立面图	1:100～1:200	可与工艺合并
10	鸟瞰图	—	根据需要
11	大门及围墙建筑效果图	—	根据需要
12	主控通信室建筑效果图	—	根据需要

6.4.2 图纸深度应符合下列要求:

1 站区总体规划图应表示站址位置与城镇及村庄的相对位置关系、进站道路及引接点、进出线走廊、取排水点和给排水管线、防排洪设施规划、对改造或还建道路和沟渠等设施的规划,主要技术经济指标表、图形比例尺、指北针或风玫瑰图,说明栏内包括地形图的比例、坐标及高程系统名称、等高距等;

2 总平面布置图应表示站区范围内已有地物及需拆除的地物;测量坐标网,坐标值,场地范围的测量坐标(或定位尺寸),进站道路及站区用地范围;主要建筑物及构筑物的位置、名称,层数、建筑间距;应标注坐标(或定位尺寸)、站区围墙的坐标及设计地面标高;站内道路的布置、连接及主要坐标(或定位尺寸),电缆沟的布置,挡土墙、护坡等设施的布置;指北针或风玫瑰图;主要技术经济指标表、图例和站区建(构)筑物一览表[标明建(构)筑物名称,占地面积];说明栏内包括尺寸单位、比例、地形图的测绘单位、日期,坐标及高程系统名称(如为场地建筑坐标网时,应说明其与测量坐标网的换算关系），补充图例及其他必要的说明等；

3 竖向布置图应表示场地范围的测量坐标值（或注尺寸）；主要道路的起点、变坡点、转折点和终点的设计标高，以及场地的控制性标高；用箭头或等高线表示地面坡向；护坡、挡土墙、排水沟等；指北针或风玫瑰图；注明包括尺寸单位、比例、补充图例；

4 土方平衡图应表示 10m×10m 或 20m×20m 方格网及其定位，各方格点的原地面标高、设计标高、填挖高度，填区和挖区的分界线，各方格土方量、总土方量及工程量表（土方平衡表）；

5 进站道路平面布置图和纵断面图应包含平面图包括路面标高、转弯半径、道路起始点及转弯交点坐标及标高、各分段里程数及自然地面标高和路面标高等；纵断面图包括平曲线、竖曲线、各分段里程数及自然地面标高和路面标高、跨道路涵洞、涵管位置及标高、土方工程量等；

6 建筑平面图应标明各建筑物承重结构的轴线，轴线编号，定位尺寸和总尺寸，各房间的平面布置（标出房间名称）；绘出主要结构和建筑构配件的位置；表示主要电气、通信设备以及与工艺有关的屏柜、水池、卫生器具等的位置；标明室内外地面设计标高；标明指北针；标明剖切线及编号；列出建筑面积；标明图纸名称、比例；

7 建筑立面图应标明两端的轴线和编号，立面外轮廓及主要结构和建筑部件的可见部分；标明平、剖面未能表示的屋顶及屋顶高耸物、檐口（女儿墙）、室外地面等主要标高和高度；标明图纸名称、比例；

8 建筑剖面图应剖在层高、内外空间比较复杂的部位，剖面图应准确、清楚地表示出剖到或看到的各相关部分内容，并应表示：主要内、外墙、柱的轴线及轴线编号；主要结构和建筑构造部件；室内外地面标高、室外地面至建筑檐口或女儿墙顶的总高度及其他必需的尺寸等；图纸名称、比例；

9 串补平台结构布置及立面图应包含结构布置图中应表示平台的支持绝缘子、平台梁及支撑结构,标明平台柱的定位尺寸、平台大小尺寸和指北针;立面图中应表示平台的支持绝缘子及混凝土基础短柱、斜拉绝缘子、平台梁,标明平台基础短柱高度及定位尺寸、平台高度等。当工艺串补平台布置图中包含上述内容时,串补平台结构布置及立面图可以与工艺图合并;

10 构架透视图应标明构架的轴线、轴线编号、定位尺寸、总尺寸和指北针,构架跟开尺寸,梁挂线点标高,柱顶标高,地线柱(避雷针)顶标高,爬梯,对应的出线间隔名称。串补装置构架(设备支架)主要技术经济指标表见表6.4.2。新结构应表示出设计构造、制作及试验要求。

表6.4.2 构架(设备支架)材料表

编号	构件名称	主材规格	数量	重量			备注
				主材单重(kg)	辅材单重(kg)	小计(t)	
1							
2							
……							
总重(t)							

6.5 计算项目及深度要求

6.5.1 计算项目及计算书深度应符合下列要求:

1 总平面布置技术经济指标计算应包括站区围墙内用地面积和围墙以外所有设施及建(构)筑物占地面积,站外引接道路路径长度,站内道路及硬化场地面积,站外供排水管线长度、挡土墙、护坡、排水沟、截洪沟、还建及改建设施等工程量;

2 坐标系统计算应包括围墙坐标,站区建(构)筑物坐标计算;

3 土(石)方工程量计算应包括挖、填方量,基槽余土及外购

土方和弃土工程量(应考虑基槽余土量);

　　4　应有全站总建筑面积计算(按照国家相关规定计算);

　　5　对有代表性的框架、梁柱构架及基础进行估算,构架梁柱断面选型估算,串补平台结构选型及抗震分析计算。

7 水工、暖通及消防部分

7.1 给水系统

7.1.1 由市政或其他单位管网供水时,应说明供水干管的方位、接管管径、能提供的水量与水压。当建自备水源时,应说明水源的水质、水文及供水能力,取水方式及净水处理工艺和设备选型等。

7.1.2 说明或用表格列出生活用水定额及用水量、生产用水量、其他项目用水定额及用水量(含循环冷却水系统补水量和中水系统补水量、道路绿化洒水和不可预见水量等)和总用水量(最高日用水量、最大时用水量)。

7.1.3 说明给水系统用于生活和生产的划分及组合情况。说明当水量、水压不足时采取的措施,并说明水箱的容量、材质、位置及加压设备选型。对于毗邻已有变电站建设的串补站,还应对现有给水系统加以简介。对特殊地区(地震、湿陷性或膨胀土、冻土地区、软弱地基)的给水设施,说明所采取的相应技术措施。

7.2 排水系统

7.2.1 站外排水条件应包括下列内容:
  1 当排入现有管道或其他外部明沟时,应说明管道或明沟的大小、坡度、排入点的标高、位置或检查井编号;
  2 当排入水体(江、河、湖、海等)时,还应说明对排放的要求。

7.2.2 排水系统应包括下列内容:
  1 说明设计采用的排水制度、排水出路;如需要提升,则说明提升位置、规模、提升设备选型及设计数据,构筑物形式,占地尺寸,紧急排放的措施等;对特殊地区(地震、湿陷性或膨胀土、冻土地区、软弱地基)的排水设施,说明所采取的相应技术措施;

2 说明雨水排水采用的暴雨强度公式、重现期、雨水排水量等;

3 当污水需要处理时,应说明排水量、水质、处理方式、工艺流程、设备选型、构筑物概况以及处理效果等;

4 说明带油电气设备的事故排油系统;

5 说明管材、接口及敷设方式。

7.3 阀冷却系统

7.3.1 对可控硅阀采用内冷却方式,应说明根据可控硅阀对水量、水质、水温、水压的要求,选择采取阀内冷却系统的设备组成及主要技术参数,阀内冷却水的水质稳定与防冻(寒冷地区)措施等。

7.3.2 对可控硅阀采用外冷却方式,应说明根据当地的有关气象参数(如室外空气温度、大气压力等)来选择外冷系统的主要技术参数,系统组成及主要设备选型,以及系统的冗余考虑。

7.3.3 说明阀冷却控制保护系统的控制、保护功能。

7.4 采暖通风与空调

7.4.1 说明设计依据和范围、设计计算参数(含室外空气计算参数、室内空气设计参数)。

7.4.2 说明建筑物的采暖方式及设备类型、空调系统形式及设备选择、需要通风的房间及其通风系统的形式和换气次数与设备选择、空调与通风系统的防火技术措施等。

7.5 消 防

7.5.1 说明消防设施的设计依据、范围和设计参数。

7.5.2 说明串补平台与建筑物消防方式、灭火设备选型及控制方法(包括就地或远动、自动或手动等)。

7.6 水工、暖通及消防部分图纸

7.6.1 水工、暖通及消防部分图纸目次见表 7.6.1。

表7.6.1 水工、暖通及消防部分图纸目次

序号	图纸名称	比例	备注
1	给水系统图	—	
2	站区排水系统图	—	

7.6.2 图纸深度应符合下列要求：

1 给水系统图应绘出给水流程示意图，包括水源、输水管道、供水设备、配水管道和建筑物等，并标注干管管径；

2 站区排水系统图应绘出站区排水系统（含管道及构筑物）平面布置图，标注水流方向及干管管径。

7.7 计算项目及深度要求

7.7.1 计算项目应包括下列内容：

1 雨水排水量计算；

2 排水管道水力计算；

3 设备选型和构筑物尺寸计算；

4 灭火器配置设计计算；

5 采暖通风设备选型计算。

7.7.2 计算书深度应符合下列要求：

1 雨水排水量计算应列出所采用的暴雨强度计算公式、设计重现期、径流系数和雨水设计流量计算结果；

2 排水管道水力计算应列出雨水干管各管段汇水面积、管段流量、水力坡降、起点与终点标高等计算结果；

3 当站内雨水采用提升排放时，设备选型和构筑物尺寸计算应列出提升设备选型、集水池容积、尺寸等计算结果；

4 灭火器配置设计计算应列出建筑物或房间的名称与面积、火灾类别与危险等级、单位灭火级别最大保护面积和最小需配灭火级别的计算结果；

5 采暖通风设备选型计算应列出建筑物或房间的名称与面积或体积、采暖热指标、空调冷指标、换气次数和采暖热负荷、空调冷负荷、通风换气量计算结果。

8 水土保持和环境保护

8.1 环境保护

8.1.1 说明站址区域的自然环境概况。

8.1.2 说明生产废水、生活污水处理措施和达到排放的标准。

8.1.3 说明噪声源及防噪措施。

8.1.4 说明电磁环境影响,并根据电磁环境标准,提出相关控制措施。

8.1.5 说明环境影响评价批复标准及主要批复意见。

8.2 水土保持

8.2.1 说明项目建设区水土流失状况。

8.2.2 说明水土保持方案批复标准和其他相关标准。

8.2.3 说明工程的水土保持措施。

8.3 节能减排

8.3.1 说明工程节能减排的一般要求。

8.3.2 说明工程的节能减排措施,综合分析预期效果。

9 劳动安全卫生

9.1 概 述

9.1.1 说明依据的现行规范、规程、规定。

9.1.2 说明生产中可能发生的职业危害,特别是高风险施工环节以及应用新结构、新材料、新工艺或特殊结构的工程。

9.2 防治措施

9.2.1 采取的防治措施包括下列内容:
1 防火、防爆;
2 防毒、防化学伤害;
3 防电伤、防机械伤害及防坠落伤害;
4 防暑、防寒;
5 防噪声;
6 防电磁辐射等。

10 施工及设备运输条件

10.0.1 说明施工用水、用电量及供应方式。施工条件特殊时,应专门论述。

10.0.2 说明施工用道路的布置。

10.0.3 说明为满足施工需要,临时租用土地的面积。

10.0.4 建筑工程应说明场地平整大型土石方、特殊地基、软弱地基处理、降低地下水位、取水泵房、构架等主要建(构)筑物施工方案,大型建(构)筑物拆除工程,冬雨季施工措施。

10.0.5 设备安装工程应说明串补平台的吊装及其他设备特殊安装方案。

10.0.6 交通运输条件应说明站址地区公路、铁路运输条件,水运(含海运)通航情况。包括公路、铁路技术等级(含运输限制条件)、河流海域通航季节、船舶吨位、码头位置及装卸条件,曾经运输过的大件、重件情况。

11 主要设备材料清册

11.1 编制内容及要求

11.1.1 应按初步设计推荐方案编制送审。在初步设计审批后,应按审批意见修改,并在修改后的封面上标明"审定版"。

11.1.2 应包括各专业提出的所有设备材料及主要技术参数,不得漏项。

11.2 编制说明

11.2.1 说明编制依据和原则。
11.2.2 说明主要设备材料清册组成、内容及范围。
11.2.3 说明外委项目的设备材料,并标明应参见的设计或资料。
11.2.4 说明其他相关问题。

11.3 编制分项

11.3.1 主要设备材料清册宜按专业分项开列,可采用以下分项:
　　1　电气一次部分;
　　2　二次部分(含通信);
　　3　水工及消防部分;
　　4　暖通部分。

12 概算部分

12.1 概 述

12.1.1 工程概况应说明工程的设计依据、建设地点和地理位置、建设性质、建设规模、工程特点、交通运输等情况。应说明主要系统设计特征：主要设备型式、是否利用已有设备和设施，建筑面积等。

12.1.2 建设场地情况应说明建设场地面积、地形地貌、地质、地震烈度、土石方工程量、地基处理、地下水、需拆迁赔偿的地面建（构）筑物、植被等。

12.1.3 施工条件应说明施工水源、电源、通信及道路情况。对于改建、扩建工程还应说明改建、扩建部位和工程量，相关过渡和安全措施。

12.1.4 说明项目业主、项目建设工期、可行性研究核准批复的总投资，设计概算编制价格水平年份，建设场地征用及清理、特殊项目、工程静态、工程动态投资额和单位造价。

12.1.5 工程资金来源应说明融资方式、资本金比例、融资利率。

12.2 编制原则和依据

12.2.1 说明采用的工程量、指标、定额、人工费调整及材机费调整、设备及装置性材料价格、建筑工程材料价格、设备运杂费、编制年价差、特殊项目、建设场地征用及清理费等取用原则和调整方法、计算依据，并应符合下列要求：

  1 工程量应有提资单及计算依据，采用估算指标的应有设计方案；

  2 概算定额、预算定额：所采用的定额名称、版本、年份，采用补充定额、定额换算及调整应有说明，定额人工调整、材机调整应说明所执行的文件；

　　3　人工工资应说明建筑、安装人工工资编制依据,人工工资调整系数及计算公式；

　　4　材料价格应说明安装工程装置性材料价格采用的依据及价格水平年份。应说明建筑工程材料价格采用的依据以及信息价格采用的时间和地区；

　　5　编制年价差应说明设备、材料价差的调整和计算方法；

　　6　价差预备费应说明计列价格上涨指数所采用的计算方法；

　　7　设备价格及运输应说明主要设备价格及其他设备价格的计价依据,价格年份,设备运杂费率的确定依据,设备运输措施费计算方法和依据；

　　8　对投资影响较大的土石方工程、地基处理工程、外部电源、水源、道路桥梁工程,应根据施工条件及措施计算工程费用；

　　9　特殊项目应有技术方案和相关文件的支持,按概算要求编制；

　　10　建设场地征用及清理费应说明建设场地征用、租用及场地拆迁赔偿所执行的相关政策文件、规定和各项费用的单价、数量及价格计算依据。

12.2.2　外委设计工程应有承担设计的单位按照初步设计深度要求编制的概算书。

12.2.3　说明其他相关问题,如设计未予确定的暂列费用等问题。

12.3　投　资　分　析

12.3.1　对本工程初步设计概算与可行性研究投资估算进行简要的分析比较,阐述其增减原因,较可行性研究有规模变化的应另行论述。

12.4　概算表及附表

12.4.1　初步设计概算的表格形式应执行国家能源局发布的《电

网工程建设预算编制与计算规定》的现行文件规定。

12.4.2 概算表应包括概算编制说明、总概算表(表一甲)、安装工程专业汇总概算表(表二甲)、建筑工程专业汇总概算表(表二乙)、安装工程概算表(表三甲)、建筑工程概算表(表三乙)、其他费用概算表(表四)、建设场地征用及清理费用概算表(表七)。

12.4.3 初步设计概算附表应包括编制年价差(设备、材料、机械价差)计算表、设备调试费计算表、勘测设计费计算表、可行性研究与概算投资对比表、外委设计项目的概算表、特殊项目的依据性文件等。

本标准用词说明

1 为便于在执行本标准条文时区别对待,对要求严格程度不同的用词说明如下:
　1)表示很严格,非这样做不可的:
　　正面词采用"必须",反面词采用"严禁";
　2)表示严格,在正常情况下均应这样做的:
　　正面词采用"应",反面词采用"不应"或"不得";
　3)表示允许稍有选择,在条件许可时首先应这样做的:
　　正面词采用"宜",反面词采用"不宜";
　4)表示有选择,在一定条件下可以这样做的,采用"可"。

2 条文中指明应按其他有关标准执行的写法为:"应符合……的规定"或"应按……执行"。